G000146334

Barcelona y Gaudí. Ejemplos modernistas

Dedico este libro a mi hija Florencia Kliczkowski Wladimirski

H. A. K.

Barcelona y Gaudí. Ejemplos modernistas

Editor: Paco Asensio

Fotografías: © Miquel Tres

Texto: Raül Garcia i Aranzueque

Edición y coordinación: Susana González

Dirección de arte: Mireia Casanovas Soley

Diseño gráfico: Emma Termes Parera, Soti Mas-Bagà

Fotografías pp. 68 a 71:
© Pere Planells: 16, 20, 23, 25, 27, 29, 30
© Melba Levick: 17, 18, 19, 21, 22, 24, 26, 28, 48

Fundición, 15. Polígono Industrial Sta. Ana
28529 Rivas-Vaciamadrid. Madrid
Tel.: +34 91 666 50 01
Fax: +34 91 301 26 83
asppan@asppan.com
www.onlybook.com

ISBN: 84-89439-64-8
D.L.: B-38.679-01

Proyecto editorial

LOFT Publications
Domènec, 9 2-2
08012 Barcelona. Spain
Tel.: +34 93 218 30 99
Fax: +34 93 237 00 60
e-mail: loft@loftpublications.com
www.loftpublications.com

Impreso en:
Anmann Artes Gráficas. Sabadell. Barcelona

Octubre 2001

1. Farolas de la plaza Reial
2. Hotel España
3. Hotel Peninsular

4. Antigua Casa Figueras
5. Acadèmia de Ciències i Arts
6. Editorial Montaner i Simón

7. Casa Fargas
8. Farolas-banco de P. Falqués
9. Conservatori M. de Música

10. Casa Thomas
11. Can Serra
12. Casa Comalat

13. Palau del Baró de Quadras
14. Casa Macaya
15. Museu de Zoologia

Fachada del Palau del Baró de Quadras, actual Museu de la Música

El Modernismo legó a Cataluña, y a Barcelona en particular, un buen número de obras de arte, algunas de las cuales son verdaderas obras maestras reconocidas como tales en todo el mundo. Se cuentan entre ellas construcciones del arquitecto modernista por excelencia, Antoni Gaudí, como la Sagrada Família o el Parc Güell, proyectos que han trascendido su valor arquitectónico y estético para convertirse en auténticos iconos, símbolos de la capital catalana. Multitud de turistas de todo el mundo, ataviados con todo tipo de cámaras fotográficas y de vídeo, se postran cada día delante de ellas para inmortalizarlas y archivarlas en su álbum de fotos particular o en su cinta VHS.

Vestíbulo de la Casa Thomas

Pero el principal aliciente que ofrece el Modernismo barcelonés al visitante curioso no es la contemplación de un puñado de edificios célebres, sino ir descubriendo su rastro por toda la ciudad.

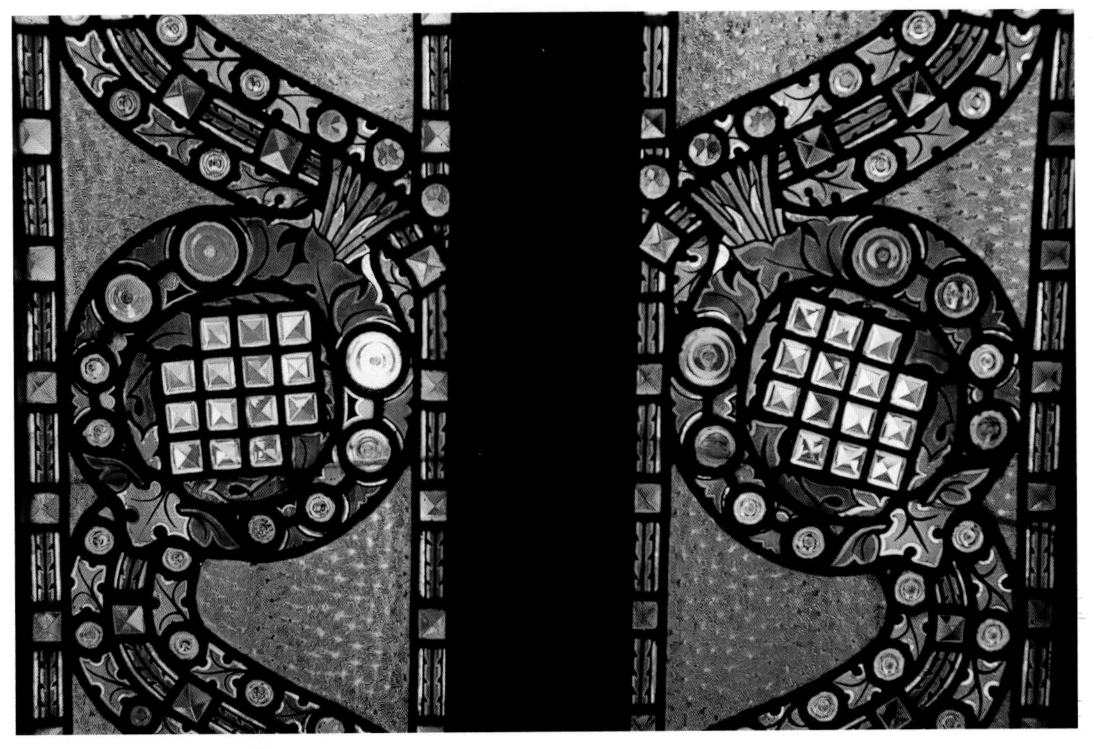

Vidrieras del interior de la Casa Thomas

Barcelona, y en concreto el distrito del Eixample, rebosan Modernismo por todas partes: en viviendas de burgueses de la época, en restaurantes, en tiendas, en el mobiliario urbano... Este movimiento artístico empapó la mayor parte de los ámbitos y locales de la ciudad. Pero para comprender el alcance que tuvo este fenómeno en la sociedad de la época hace falta distanciarse de los grandes símbolos y acercarse a los lugares donde transcurría, y transcurre, la vida cotidiana de los ciudadanos.

Las obras que se reseñan en este libro tienen en común que ninguna de ellas goza del status de icono, de tarjeta de presentación de Barcelona ante el mundo; sin embargo, cada casa, cada establecimiento, cada farola, aparte de tener un valor artístico y cultural incontestable, esconde un pedazo de historia que os ayuda a comprender mejor este movimiento artístico internacional que tuvo su epicentro en Cataluña y, especialmente, en su capital.

Cada obra esconde un valor artístico incontestable, pero también un pedazo de historia

Barcelona ha vivido muchos años de espaldas al fabuloso patrimonio modernista que atesora. Joyas como las farolas-banco del paseo de Gràcia o fachadas como la de la archifotografiada Casa Milà, la popular Pedrera, se habían

Patio interior del Palau del Baró de Quadras

ido deteriorando y ennegreciendo sin remedio aparente hasta el punto de presentar un aspecto lamentable. Afortunadamente, en los últimos años el Ayuntamiento de la ciudad se ha puesto manos a la obra y ha emprendido una serie de acciones destinadas a recuperar el patrimonio artístico. Campañas como Barcelona, posa't guapa (Barcelona, ponte guapa) han cambiado radicalmente el aspecto de la urbe.

Paralelamente, el gobierno municipal ha puesto en funcionamiento la Ruta del Modernismo, un recorrido por las obras más representativas de este movimiento artístico. Se trata de un itinerario perfectamente señalizado con unos adoquines redondos y rojos incrustados en el suelo.

Vidrieras de la Acadèmia de Ciències i Arts

Farola de la plaza Reial

Farola-banco de Pere Falqués, junto a la emblemática Pedrera

Tanto las administraciones públicas como algunas entidades privadas han ido incorporando a lo largo de los años, para el uso público, edificios que en su inicio estaban destinados a otros menesteres. Entre ellos, numerosas viviendas particulares de burgueses de la época. Así, por ejemplo, la antigua editorial Montaner i Simon alberga desde 1984 la Fundació Antoni Tàpies y el Palau del Baró de Quadras es hoy el Museu de la Música de la ciudad. Aun así, no deja de ser cierto que muchos edificios modernistas son de titularidad privada y no están abiertos al público. El visitante más curioso deberá, en este caso, ingeniárselas para entablar una amistad de conveniencia con el portero de turno o buscar fórmulas alternativas para visitar según qué interiores. En cualquier caso, las fachadas en sí mismas ya merecen ser contempladas.

Cada vez son más los edificios de legado modernista que se incorporan al uso público de los ciudadanos

Este libro pretende ser una herramienta útil a este visitante curioso que quiere ir más allá de lo que marcan los circuitos turísticos tradicionales para tratar de descubrir en cada obra la esencia de un movimiento artístico que rompió con los cánones de una época y fue capaz de transformar la fisonomía de una ciudad.

En estos elementos pueden apreciarse algunos símbolos de identidad del modernismo catalán como los motivos florales, los animales mitológicos o el escudo de la ciudad y detalles neoclásicos rediseñados por el arquitecto de forma realista.

Farolas de la plaza Reial 1878

Antoni Gaudí 1852-1926

Plaza Reial

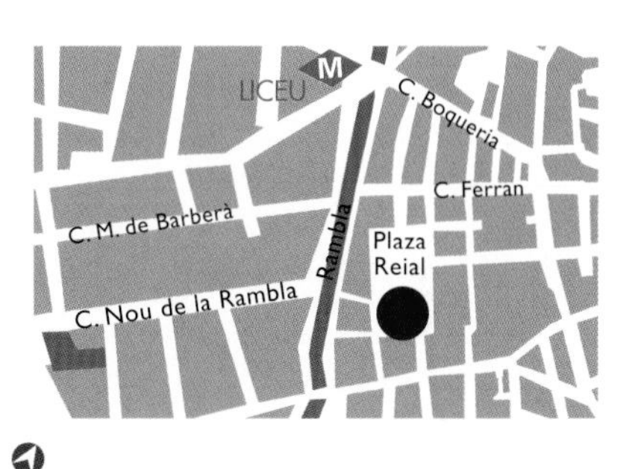

La plaza Reial es una de las más concurridas de la ciudad. Gentes de toda condición social y de todos los puntos del planeta se pasean continuamente entre sus arcos, se toman una cervecita en una de sus terrazas, menean el cuerpo en uno de sus bares nocturnos o se tumban en el suelo, junto a su mochila, al lado de la fuente de las Tres Gràcies.

El célebre cosmopolitismo de este espacio de encuentro de la ciudad no ha pasado desaparcibido a cineastas y novelistas, quienes en numerosas ocasiones han inspirado sus obras en los avatares de esta plaza. Tampoco los vecinos son indiferentes al entorno en el que viven y muchas veces se han manifestado contra el exceso de ruido cubriendo los balcones de la plaza con pancartas reivindicativas.

A esta plaza porticada, diseñada en 1848 por el arquitecto y urbanista Francesc Daniel Molina (1803-1873) a imagen de las urbanizaciones francesas de la época napoleónica, no le falta el genuino sello de Gaudí. Dos farolas encargadas por el Ayuntamiento a un joven Gaudí en 1878, cuando todavía no había obtenido el título de arquitecto, flanquean la fuente. Forman parte de un proyecto cuyo objetivo era instalar farolas de diseños variados en los paseos y las plazas de la ciudad.

Las farolas de la plaza Reial muestran el temprano talento de su arquitecto, quien conjugó con acierto el uso de las nuevas tecnologías de la época (la luz de gas, primero, y la eléctrica después) con un diseño vanguardista.

La reciente restauración de las farolas desagradó a algunos ciudadanos, que consideraron excesivamente chillones los tonos rojo y amarillo que se utilizaron.

La plaza Reial ejerce un fuerte magnetismo entre los visitantes foráneos. En las noches de verano a menudo se hace difícil encontrar una mesa libre en las numerosa terrazas de la plaza.

La planta baja alberga en la actualidad el restaurante del hotel. El establecimiento posee también un bonito y luminoso patio interior.

Hotel España 1903

Lluís Domènech i Montaner 1850-1923

Sant Pau, 9-11

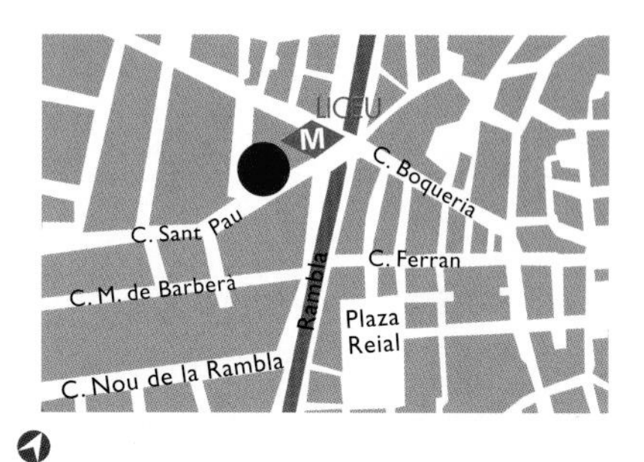

Este hotel de la calle Sant Pau, situado muy cerca del Teatre del Liceu, puede presumir de contar en su decoración con tres figuras del Modernismo catalán: el arquitecto Lluís Domènech i Montaner, el escultor Eusebi Arnau (1863-1933) y el pintor Ramon Casas (1866-1932). La decoración del inmueble fue encargada a Domènech i Montaner en 1903, quien convirtió las paredes de la planta baja del hotel en un mar de olas habitado por toda suerte de fauna marina: peces, estrellas de mar e incluso sirenas.

El célebre pintor Ramon Casas fue el encargado de realizar el esgrafiado de temas marinos.

Los elementos decorativos que justifican el nombre del hotel se encuentran en la parte inferior de la pared de esta estancia. Decenas de medallones de cerámica con el escudo de distintas ciudades de España están incrustados en un curioso arrimadillo de madera esculpida con motivos florales.

El sello de Eusebi Arnau puede verse en el grupo escultórico que luce el magnífico hogar de alabastro.

El arrimadillo de madera esculpido con motivos florales y los medallones de cerámica son una muestra representativa de la importancia que los artistas modernistas otorgaban a los elementos decorativos.

NO8DO

Hotel Peninsular 1875

Arquitecto desconocido

Sant Pau, 34

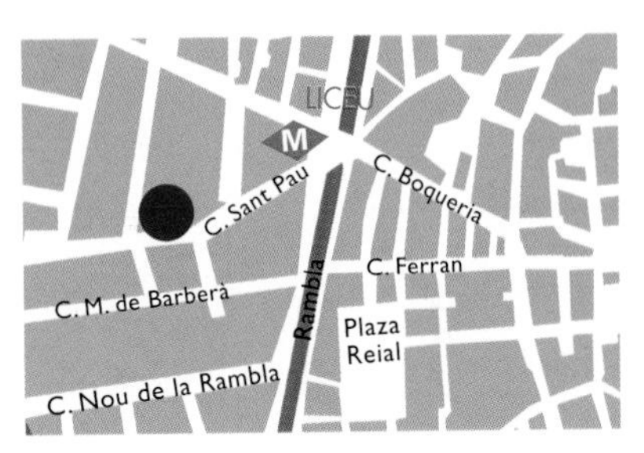

En la misma calle que el hotel Espanya se encuentra el hotel Peninsular, otra muestra de la influencia que tuvo el Modernismo en la sociedad burguesa de la época. Los empresarios apostaban cada vez más fuerte por invertir en negocios relacionados con el ocio de las crecientes capas acomodadas de la ciudad, y muchos propietarios de hoteles y restaurantes adaptaron sus locales a los nuevos gustos refinados de la burguesía. El Modernismo desempeñó un papel fundamental en este proceso.

El patio interior es, sin duda, lo más sobresaliente de esta finca. En él pueden observarse las características propias del movimiento modernista: pasillos largos, puertas grandes y techos altos. Dominado por las líneas rectas, el patio cuenta con una rica decoración de baldosas de cerámica que reciben la luz que atraviesa la claraboya e ilumina las galerías. El tono crema de las paredes y el verde de las numerosas plantas que adornan las galerías completan un cuadro armónico que genera una composición cromática afortunada y estimulante.

El hotel fue restaurado a finales de los ochenta con una intervención que le hizo recobrar buena parte de su carácter modernista.

El Hotel Peninsular se asienta sobre lo que fue un convento de la orden de los agustinos. Si se observa con atención, es fácil imaginarse a sus habitantes yendo de un lado a otro acarreando libros y cumpliendo con las tareas que impone la vida monacal. El edificio, cuyo autor se desconoce, se convirtió en establecimiento hotelero en 1876 y tuvo su máximo esplendor durante la Exposición Universal de Barcelona de 1888.

La cuadrícula que forman las baldosas en el interior y en el patio confiere una gran personalidad al establecimiento. Ambas zonas gozan de una iluminación natural excelente. Las puertas de las habitaciones tienen acceso visual al patio interior. Unas barandillas de hierro forjado con pasamanos de madera completan el conjunto.

ESCRIBA
pastisseria
FUNDADA
EN
1820
TAPIOCAS

La antigua Casa Figueras es una buena muestra del nivel que alcanzaron los artesanos de la época en las artes decorativas, tal como puede apreciarse en los mosaicos, vidrieras y hierro forjado de sus dos fachadas simétricas. El eje que las separa cuenta en la parte superior con un relieve escultórico que representa una alegoría a la siega del trigo.

Antigua Casa Figueres

1902

Antoni Ros Güell 1878-1954

Rambla, 83/Petxina, 1

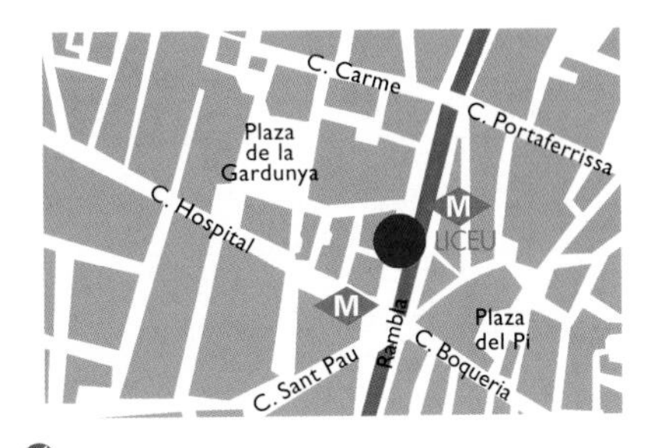

Uno de los sectores de la población más entusiastas con el Modernismo fue el de los comerciantes. Éstos quisieron atraer a la cada vez más numerosa y refinada burguesía de la época dándole una pátina de distinción a sus establecimientos. Situada en la planta baja de un edificio decimonónico, esta tienda de alimentación que había sido fundada en 1820 fue remodelada por Antoni Ros en 1902. Ros sobresalió como pintor paisajista y escenógrafo, y la decoración de interiores fue en él una actividad esporádica, aunque alcanzó un gran nivel.

En la realización de la antigua Casa Figueras colaboró un excelente grupo de artistas y artesanos de la ciudad. Entre todos lograron elevar a obra de arte este establecimiento situado en el corazón de la ciudad, en el que destacan las formas simbolistas de los relieves escultóricos, los mosaicos de teselas esmaltadas, las vidrieras de colores y la clásica tipografía modernista de los carteles.

Actualmente el local alberga la pastelería Escribà, una de las más célebres de Barcelona. Sus propietarios explotan hábilmente el carácter modernista del establecimiento dando un diseño modernista a las cajas de sus productos, que juegan con elementos propios de este movimiento como los mosaicos y la tipografía.

La pastelería Escribà ha sobresalido en el arte de la repostería hasta el punto de convertirse en la pastelería por excelencia de Barcelona. La solera modernista del local, expresada en esta foto por medio de su fachada de azulejos y de las vidrieras de los escaparates, ha contribuido decisivamente a ello.

Las vidrieras, un recurso muy utilizado en el arte modernista, transforman la luz blanca del sol en una iluminación policromática que inunda el interior de la tienda.

GEOPHYSICA

Reial Acadèmia de Ciències i Arts 1883

Josep Domènech i Estapà 1858-1917

Rambla, 115

El edificio de la Reial Acadèmia de Ciències i Arts es una muestra de la arquitectura de los inicios del Modernismo. Sobresalen el vestíbulo y la escalera, notablemente resueltos por el arquitecto Josep Domènech i Estapà. Pero el elemento que caracteriza esta construcción es el reloj de la fachada, pues es el que marca la hora oficial de Barcelona.

Hacia finales del siglo XIX, la necesidad de precisión y estandarización horaria de los barceloneses se convirtió en un hecho cada vez más acuciante. A falta de una hora oficial, cada cual se guiaba por la que marcaba el reloj que más confianza le mereciera: el de la catedral, el de la estación... En 1883, la ciudad decidió poner fin a este problema con la creación del Servicio Horario Municipal. Un año más tarde se acordó la construcción de un observatorio astronómico en una de las dos torres del edificio de la Reial Acadèmia de Ciències i Arts con el fin de determinar con exactitud una hora que fuese la guía para toda la ciudad.

La particular relación de este inmueble con los relojes se retomó en 1985, cuando el poeta catalán Joan Brossa instaló un poema visual en el vestíbulo. Se trata de un reloj ilusorio iluminado frontalmente y situado de espaldas al espectador con unas agujas que giran en sentido inverso al habitual, de tal manera que cuando se ve reflejado en un espejo cóncavo, el sentido de las agujas recobra la normalidad.

Actualmente la Reial Acadèmia de Ciències i Arts comparte edificio con el teatro Poliorama. Se trata, pues, de un lugar muy concurrido por los barceloneses. A ello contribuye también su ubicación en la Rambla, la vía más popular de la ciudad.

En 1891, la alcaldía fijó como hora oficial de la ciudad la que marcaba el reloj de este edificio, al que se le admitía un margen de error de un minuto, que quedaba reducido a un segundo si la lectura se hacía en el reloj de péndulo de la biblioteca de la institución.

Las salas de la Reial Acadèmia de Ciències i Arts se caracterizan por la ornamentación propia del arte modernista.

La fachada de la editorial Montaner i Simon, coronada por la escultura de aluminio *Núvol i Cadira* (Nube y Silla), aúna dos visiones rompedoras del arte: la de su arquitecto, Lluís Domènech i Montaner, y la del autor de la emblemática escultura, Antoni Tàpies, cuya fundación ocupa actualmente el inmueble.

Editorial Montaner i Simon 1885

Lluís Domènech i Montaner 1850-1923

Aragó, 255

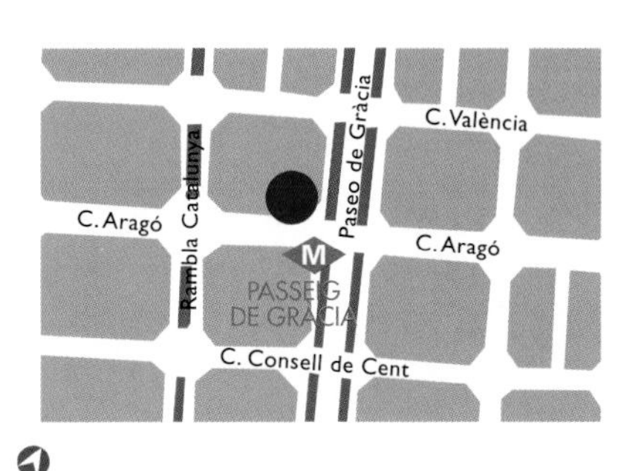

Fue construida entre 1880 y 1885 por encargo del mecenas Ramon Montaner, un primo del arquitecto que amasó una fortuna gracias al negocio editorial y que financió otras obras de Domènech i Montaner. Con este edificio, el más antiguo de los que el arquitecto proyectó para la ciudad, Domènech trazó las líneas maestras de la que sería su innovadora manera de entender la arquitectura y que más adelante empleó en construcciones tan emblemáticas como el hospital de Sant Pau.

Considerada, junto con la Casa Vicens de Gaudí, una de las obras iniciadoras del movimiento modernista, no incorpora todavía las clásicas formas naturalistas de esta tendencia y sí, en cambio, referencias al estilo gótico y una clara influencia mudéjar. La fachada refleja el talante moderno del arquitecto a través de símbolos progresistas de la época, como engranajes dentados y estrellas de cinco puntas.

Fue concebido para un uso industrial –iba a albergar la imprenta más moderna de Barcelona–, así que el arquitecto diseñó el edificio como una planta libre estructurada en grandes zonas iluminadas con claraboyas para aprovechar la luz del sol. Domènech utilizó para su construcción ladrillo y hierro, materiales que hasta el momento habían estado reservados para construcciones como mercados o estaciones.

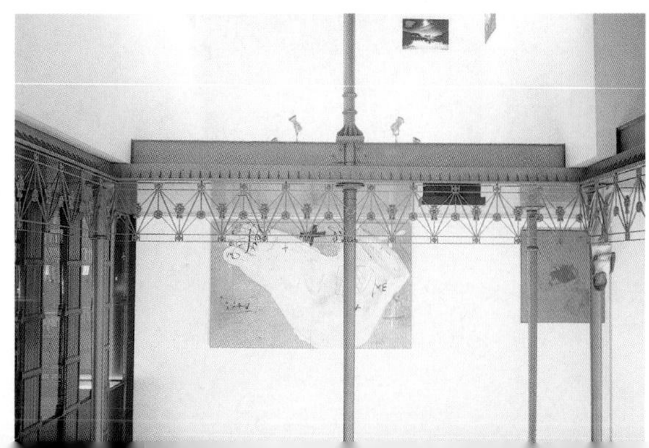

La antigua Editorial Montaner i Simon es desde 1984 la sede de la Fundació Antoni Tàpies, que promueve el conocimiento y el estudio del arte moderno. El edificio acoge un museo dedicado a este artista catalán y una biblioteca especializada en arte moderno y en las artes y la cultura asiáticas. En 1987 fue restaurado por los arquitectos Roser Amadó y Lluís Domènech Girbau.

En esta construcción Sagnier dejó de lado el goticismo de sus primeras obras para abrazar el estilo modernista y la decoración rococó.

Casa Fargas 1904

Enric Sagnier 1858-1931

Rambla Catalunya, 47

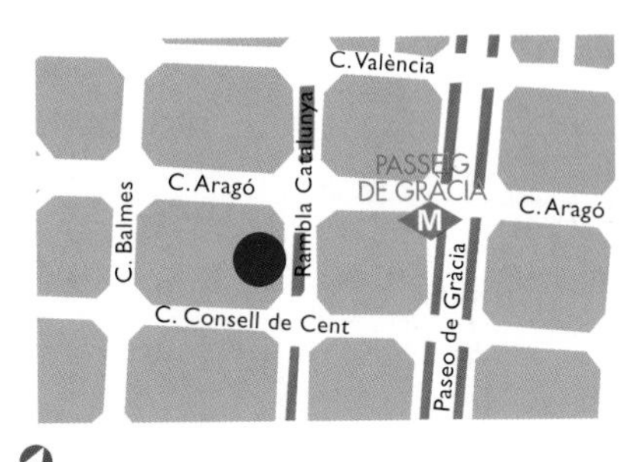

La Casa Fargas, situada en la rambla Catalunya, frente a la Casa Dolors Calm, también modernista, es un claro ejemplo de la exaltación de la línea curva de este movimiento artístico. La fachada, de composición simétrica, aunque con la puerta de entrada desplazada, exhibe una tribuna central curva que recorre todos los pisos; parece como si estuviera adosada al resto de la fachada plana. A uno y otro lado de esta pieza, las barandillas de los balcones, forjadas con elementos florales, comparten la forma ondulada que distingue al eje central de esta obra.

El arquitecto proyecta claramente su estilo en el vestíbulo. La ornamentación de motivos vegetales aparece en forma de relieves en los sobredinteles y las barandillas, así como en los dos arcos trilobulados que dividen el vestíbulo en dos espacios: el del ascensor y el de la escalera. Las paredes están decoradas con esgrafiados, y el zócalo, de mármol ocre, con lacerías en la parte superior. Mención aparte merecen el friso del techo, la carpintería y la barandilla original, en un estado de conservación envidiable.

La Casa Miquel A. Fargas comunicaba por su parte posterior con la clínica que su propietario, el doctor Fargas, tenía en el número 333 de la calle Consell de Cent. Una placa recuerda que en esta casa nació, vivió y murió el economista y político Ramon Trias i Fargas. Actualmente la planta principal del edificio alberga la fundación que lleva su nombre.

Los interiores de la casa, cuyas paredes, suelos, pilares y barandillas se decoraron con motivos vegetales, se convierten en una verdadera obra de arte. Destaca el enorme catálogo de lámparas de techo.

Las farolas-banco de Pere Falqués son una de las señas de identidad del paseo de Gràcia, junto a edificios tan emblemáticos como la Casa Milà (la Pedrera), de Antoni Gaudí.

Farolas-banco de Pere Falqués 1906

Pere Falqués 1850-1916

Paseo de Gràcia

Muchos barceloneses atribuyen las farolas-banco del paseo de Gràcia al arquitecto modernista por antonomasia, Antoni Gaudí. Es un error difícil de erradicar, pues guardan un enorme parecido con las líneas gaudinianas de las casas Batlló y Milà, situadas también en esta avenida. En cualquier caso, esta confusión ilustra con claridad cómo las creaciones de Pere Falqués combinan armoniosamente con su entorno.

Las farolas-banco están constituidas por una base de formas suaves recubierta por un mosaico de cerámica blanca (aplicada según la técnica del *trencadís*) que conforma un doble banco. La estructura metálica que sostiene la farola, de hierro forjado modelado por Manuel Ballarín, se encuentra engastada en el banco, de manera que ambos elementos se funden en un mismo cuerpo. En ella pueden apreciarse numerosos ornamentos vegetales y el escudo de la ciudad.

Este curioso ejemplo de mobiliario urbano aúna la tradición decimonónica de los faroles con la modernidad de las estructuras de hierro forjado o los mosaicos. Pere Falqués, arquitecto municipal de la ciudad, recibió el encargo de contribuir a la singularización de este paseo, símbolo de la burguesía de la época, con estos elementos. El paseo de Gràcia era entonces una de las principales arterias de comunicación de la ciudad y conectaba Barcelona con la antigua villa de Gràcia, hoy uno de los barrios históricos de la urbe.

Las farolas-banco de Falqués fueron objeto de una restauración en los años ochenta que les devolvió su aspecto original.

La delicada elegancia modernista de este elemento de mobiliario urbano convive con el agitado tráfico del más famoso bulevar de Barcelona.

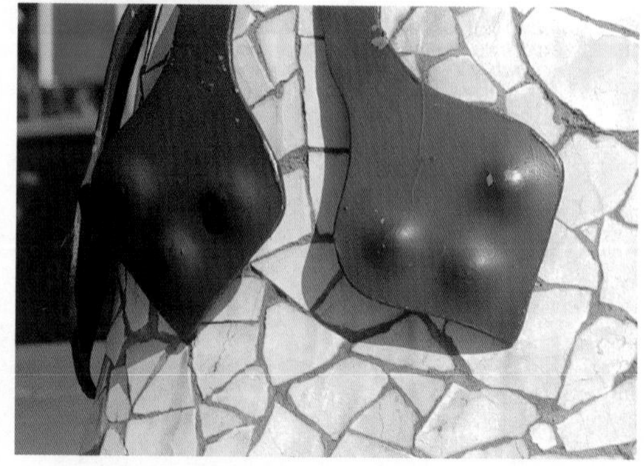

La obra fue construida por el especialista en encargos municipales Antoni de Falguera, quien se inspiró en construcciones neogóticas de Puig i Cadafalch como la Casa Serra o la Casa Terrades, ésta última conocida popularmente con el sobrenombre de Casa de les Punxes.

Conservatori Municipal de Música 1916

Antoni de Falguera 1876-1945

Bruc, 112

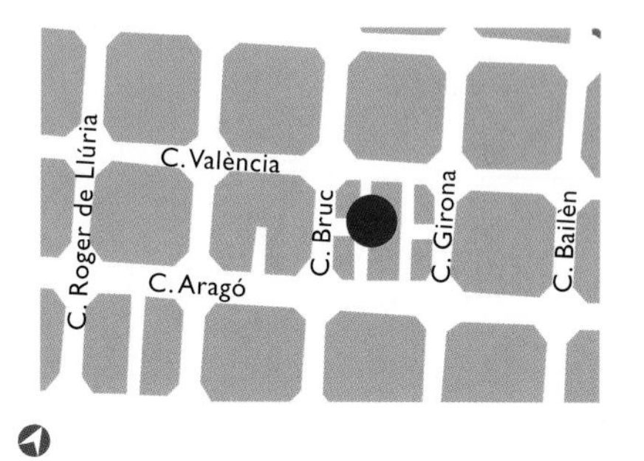

En este edificio, construido cuando el movimiento modernista empezaba a remitir, se forman cada año centenares de músicos provenientes de todos los puntos de Cataluña.

La proyección de las torres diseñada por Antoni de Falguera coincide con la solución adoptada en otro edificio municipal cercano, situado en la calle Aragó, obra de Pere Falqués. Al parecer, este arquitecto podría ser el autor del proyecto inicial del conservatorio, modificado en 1916 por Falguera.

Dos torres gemelas de planta circular actúan como elementos aglutinadores de las tres fachadas exteriores y realzan la central –correspondiente al chaflán–, más alta que las laterales. Éstas están resueltas con obra vista en los niveles superiores y sillares en la planta baja. La puerta principal, enmarcada por un grupo escultórico de Eusebi Arnau, está flanqueada por dos ventanas pequeñas similares a las de la tercera planta.

En el interior destacan la escalera y la sala llamada la *peixera* (la pecera), que alberga una claraboya de vidrieras policromadas.

Antoni de Falguera proyectó esta construcción de manera que se aprovechara al máximo la luz natural del exterior.

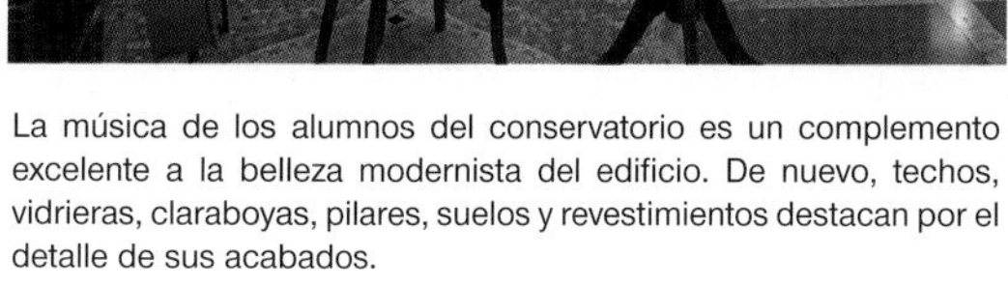

La música de los alumnos del conservatorio es un complemento excelente a la belleza modernista del edificio. De nuevo, techos, vidrieras, claraboyas, pilares, suelos y revestimientos destacan por el detalle de sus acabados.

Un gran ventanal con vidrieras enmarcado por un arco rebajado permitía mantener bien iluminadas las plantas inferiores donde se trabajaba. El balcón con baranda de piedra y adornos florales del piso superior delimitaba el espacio destinado a la esfera privada de su propietario.

Casa Thomas 1898

Lluís Domènech i Montaner/Francesc Guàrdia Vial

Mallorca, 293

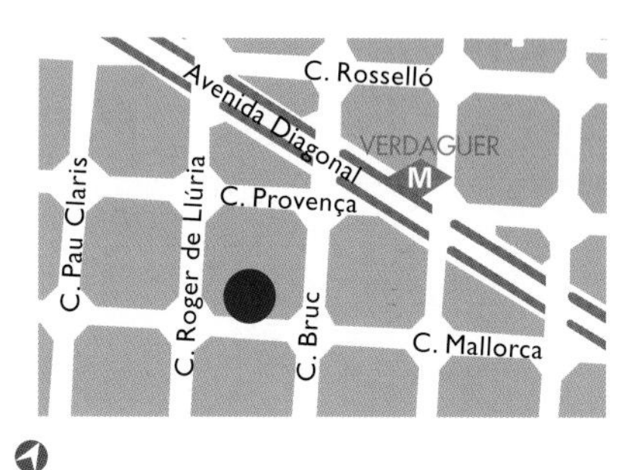

La Casa Thomas es un ejemplo de armonía en un edificio iniciado por un arquitecto y continuado por otro distinto. Lluís Domènech i Montaner comenzó esta construcción de fachada neogótica donde aparecen por primera vez elementos de decoración que el arquitecto aplicará posteriormente en sus obras.

En un primer estadio, el inmueble estaba formado por una planta semisótano, el entresuelo y el principal, todos ellos destinados a diferentes usos. Las dos plantas inferiores albergaban un taller industrial y la superior, la vivienda del propietario. La fachada refleja fielmente las distintas actividades que se desarrollaban en el interior.

En 1912 la obra continuó según el proyecto de Francesc Guàrdia Vial, yerno de Domènech, que preveía añadir tres plantas más y cuya ejecución contó con la autorización de su suegro, quien influyó decisivamente en que se mantuviera la unidad estilística. Buena muestra de ello se encuentra en las torres, que fueron reconstruidas en el piso superior, y en la extensión del revestimiento de azulejos original por toda la fachada.

Una tienda de muebles de estilo actual, que se instaló en la planta baja en 1979, contrasta con el celo con que vigiló Domènech la unidad de estilo y la armonía del edificio.

La estética del Modernismo se expresa en todo tipo de detalles, desde pasamano de latón y pilares exteriores de piedra hasta revestimientos de azulejos en paredes interiores y vidrieras coloristas.

b.d
(Presentación de las
nuevas cocinas de Driade
en Bd Ediciones de Diseñ

...n incorpora también
...cultórico de Eusebi Ar-
...ulpió la imagen de una
... catalán) en los meda-
...os en honor del apelli-
...rio.

Can Serra 1906

Josep Puig i Cadafalch 1869-1956

Rambla Catalunya, 126

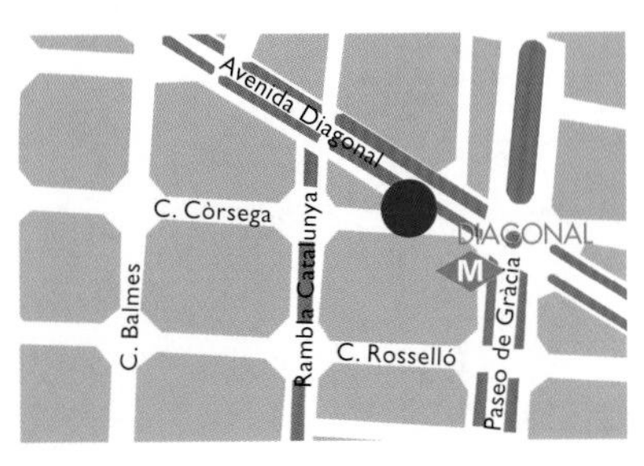

La de Can Serra es una historia curiosa. Comienza en el año 1900 cuando el arquitecto, y más adelante presidente de la Diputación de Barcelona, Josep Puig i Cadafalch, recibe el encargo de la familia Serra de construir un palacete unifamiliar en la señorial rambla Catalunya. Cadafalch proyectó un edificio con elementos del Renacimiento catalán en un gesto propio del incipiente catalanismo de la época.

Debido a problemas económicos de los Serra, el edificio jamás fue ocupado por la familia y en 1908 fue vendido a la congregación religiosa de Santa Teresa de Jesús, que lo adaptó para llevar a cabo funciones docentes. Hasta 1969 funcionó como escuela y a partir de entonces experimentó un periodo de incertidumbre acerca de su futuro, incluso llegó a considerarse la posibilidad de derribar el edificio. El peso de la opinión pública barcelonesa evitó tal despropósito y en 1985 Can Serra fue adquirido por la Diputación de Barcelona, que instaló allí su sede.

En 1987 se inauguró un nuevo edificio de porte muy moderno en la parte trasera de Can Serra del que destacan los grandes ventanales tintados de negro. El enorme contraste que ofrece con los elementos de arquitectura medieval e histórica de la obra de Puig i Cadafalch disgustó a algunos sectores de la sociedad barcelonesa.

La fachada principal, en la avenida Diagonal, es mucho más sobria que la trasera y aunque adopta también las gaudinianas formas onduladas, tiene un carácter completamente distinto. Una muestra de esta sobriedad la encontramos en las dos armaduras de caballeros medievales que se exhiben en la entrada. La tribuna central sobresale del resto de la fachada, que está coronada por una cúpula revestida de cerámica vidriada verde.

Casa Comalat 1911

Salvador Valeri 1873-1954

Diagonal, 442

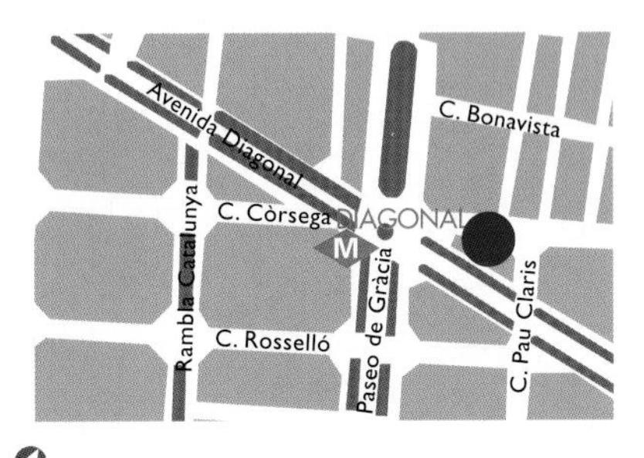

Aunque la Casa Comalat figure en el número 442 de la Diagonal, la mayor avenida de Barcelona, lo cierto es que este edificio del arquitecto Salvador Valeri tiene su fachada más vistosa en la parte posterior del inmueble. El lado que da a la calle Còrsega luce una espectacular composición de colores claramente inspirada en la Casa Batlló, del maestro Gaudí. Dominan los tonos pastel, que copan la mayor parte de los mosaicos cerámicos y de las vidrieras. Las galerías modernistas de madera con cerramientos de persianas conviven en perfecta armonía con la carpintería y las cintas de cerámica de distintos colores. El frontón de coronamiento, revestido de mosaico, redondea el toque gaudiniano de la fachada.

Pero quizá lo más interesante del edificio esté al otro lado de la puerta, en el interior. En el vestíbulo, de gran belleza, destacan las formas redondeadas y extremadas de sus bancos, lámparas y mosaicos.

Hay que lamentar la pérdida de algunas esculturas de figuras femeninas que flanqueaban la cúpula de la fachada principal, que se registró durante la restauración del edificio, en 1987.

En la actualidad, el Palau del Baró de Quadras acoge el Museu de la Música. En él se puede seguir la evolución de este arte desde el siglo XVI hasta nuestros días gracias a su completa colección de instrumentos. Cabe destacar los pianos de los músicos Joaquim Malats, Amadeu Vives y Otto Kibuntz o los seis órganos, uno de los cuales data del siglo XVIII y proviene del desaparecido convento de Santa Caterina.

Palau del Baró de Quadras 1904

Josep Puig i Cadafalch 1869-1956

Diagonal, 373

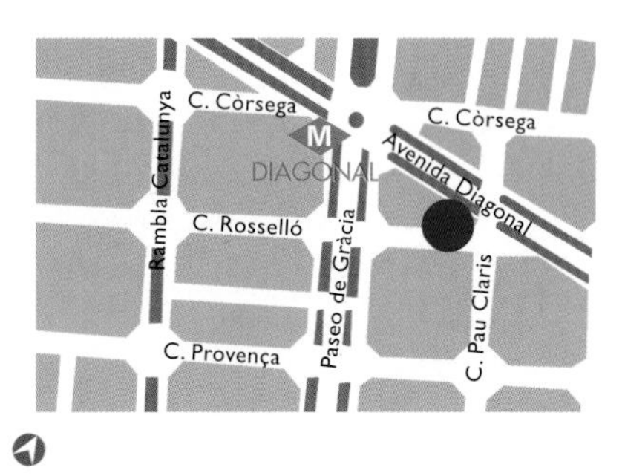

El Palau del Baró de Quadras es el resultado de una profunda reforma practicada por Josep Puig i Cadafalch sobre una vivienda ya existente. El edificio, situado en una manzana muy singular debido a su estrechez, revela de manera diáfana la intención del arquitecto en cada una de sus fachadas. Tanto la de la avenida Diagonal como la de la calle Rosselló nos hablan de dos concepciones distintas de la vida.

La primera presenta el esquema clásico de una casa noble de la época gótica habilitada como palacete unifamiliar. Bajo la gran tribuna apaisada que sobresale de la fachada, lucen un buen número de esculturas de Eusebi Arnau. Entre ellas, Sant Jordi, patrón de Cataluña, matando al dragón.

Doblando la esquina, en el número 279 de la calle Rosselló se encuentra la segunda, imposible de relacionar con la de la Diagonal si no se sabe de antemano que forman parte del mismo inmueble. Se trata de la fachada típica de una vivienda plurifamiliar del Eixample barcelonés. Los elementos más destacables son la escalera del patio y los esgrafiados del intradós de las bóvedas y los muros.

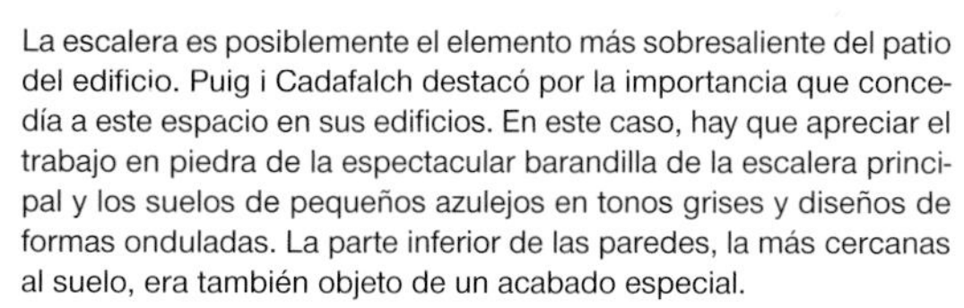

La escalera es posiblemente el elemento más sobresaliente del patio del edificio. Puig i Cadafalch destacó por la importancia que concedía a este espacio en sus edificios. En este caso, hay que apreciar el trabajo en piedra de la espectacular barandilla de la escalera principal y los suelos de pequeños azulejos en tonos grises y diseños de formas onduladas. La parte inferior de las paredes, la más cercanas al suelo, era también objeto de un acabado especial.

La Casa Macaya es un ejemplo de edificio modernista de titularidad privada con un uso intensivo de los ciudadanos. Alberga numerosas exposiciones de arte.

Casa Macaya 1903

Josep Puig i Cadafalch 1869-1956

Paseo Sant Joan, 108

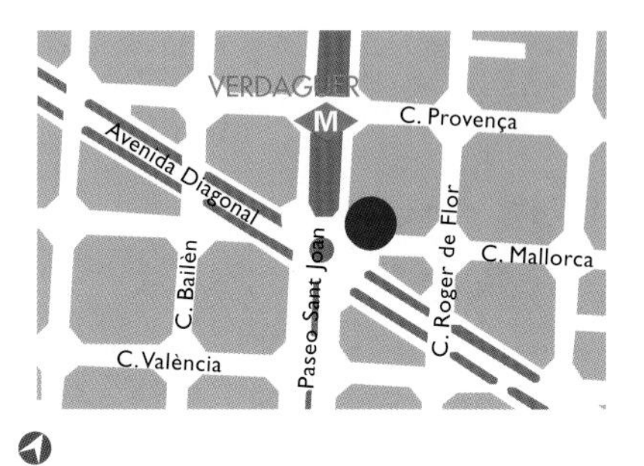

Poco después de terminar la Casa Amatller, una de sus obras más conocidas, Puig i Cadafalch construyó esta otra joya de la llamada etapa rosa, así conocida por el color del ladrillo empleado. Se trata de una original construcción que combina el estilo gótico que tanto atraía a los arquitectos modernistas con claras reminiscencias mudéjares.

El edificio fue proyectado como si se tratara de una casa unifamiliar, y en ella quiso Cadafalch realzar la ornamentación de los enmarcados de piedra de los vanos de la fachada, a los que contrapuso un austero estuco blanco con esgrafiados. Al igual que en la Casa Amatller, destacan las dos puertas tardogóticas. Las adornan un conjunto de esculturas de Eusebi Arnau que reproduce escenas de la vida cotidiana: un campesino en un burro o el propio arquitecto montando en bicicleta. Puig i Cadafalch acostumbraba a utilizar este medio de transporte para sus desplazamientos por la ciudad y Arnau quiso inmortalizarlo en una de las obras emblemáticas del arquitecto.

El interior de la casa conserva pocos elementos de lo que en su día fue una residencia. Entre ellos se cuentan el vestíbulo, embaldosado y esgrafiado, y el patio, que dispone de una escalera abierta, muy característica de los palacios medievales de la ciudad.

La Casa Macaya es actualmente propiedad de la Caixa d'Estalvis i Pensions de Barcelona, que tiene aquí la sede de su fundación. El edificio alberga numerosas exposiciones de arte y una interesante mediateca.

Las dependencias interiores de este edificio no guardan relación alguna con su aspecto original. Sus distintos usos a lo largo del tiempo lo han cambiado por completo.

Museu de Zoologia

1888

Lluís Domènech i Montaner 1850-1923

Parque de la Ciutadella

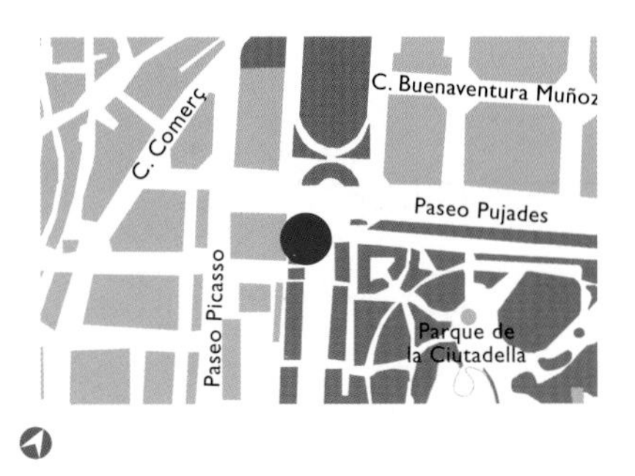

La historia del edificio que hoy alberga el Museu de Zoologia de la ciudad es algo accidentada. Situado dentro del parque de la Ciutadella, el edificio de Lluís Domènech i Montaner estaba destinado a ser el el gran café restaurante de la Exposición Universal de Barcelona de 1888; sin embargo el proyecto nunca se terminó.

Finalizada la exposición, el arquitecto estableció allí un taller dedicado a la artesanía y a las artes decorativas. Poco después, el inmueble albergó un museo de Historia y entre 1896 y 1928 la planta baja estuvo ocupada por la Escola Municipal de Música, actualmente ubicada en la calle Bruc. En 1917 se inauguró el Museu de Catalunya, dedicado a la flora, la fauna y la geología, y durante los años de la República el edificio acogió una bolsa de trabajo, un centro de matrículas para escolares e, incluso, comedores de auxilio social. Antes de convertirse en el Museu de Zoología albergó también un museo de Biología.

El edificio se conoce popularmente como Castell dels Tres Dragons (Castillo de los Tres Dragones) debido a su aspecto trovadoresco. Domènech i Montaner se inspiró en la arquitectura gótica catalana y mudéjar, a la que añadió un toque germánico y almohade. El resultado es un edificio de aspecto medieval de ladrillo visto que realza la expresividad de una estructura de hierro. Sus cuatro torres y los grandes escudos heráldicos que lo adornan le imprimen su característico sello medieval.

El Museu de Zoologia de la ciudad está situado en uno de los parques más apreciados por los barceloneses. En él también se encuentran el zoológico y el Parlamento de Cataluña.

La Ruta del Modernismo. Continuación

Ver libro *Barcelona, Gaudí y la Ruta del Modernismo (1er. volumen)*

16. Palau Güell 1886

Nou de la Rambla, 3-5

17. Mercat de la Boqueria 1874

Rambla, 91

18. Els 4 Gats 1894

Montsió, 3

19. Palau de la Música Catalana 1905

Sant Pere Més Alt, 13

20. Casa Calvet 1900

Casp, 48

21. Casa Lleó Morera 1902

Paseo de Gràcia, 35

22. Casa Amatller 1898

Paseo de Gràcia, 41

23. Casa Batlló 1905

Paseo de Gràcia, 43

24. Palau Montaner 1889

Mallorca, 278

25. Casa Milà, la Pedrera 1906

Paseo de Gràcia, 92

26. Casa Terrades 1903

Diagonal, 416

27. Sagrada Família 1881

Plaza de la Sagrada Família

28. Hospital de Sant Pau 1905

Sant Antoni Maria Claret, 169

29. Parc Güell 1900

Olot, s/n

30. Casa Vicens 1883

Carolines, 18-24

31. Cafè de l'Òpera 1929

Rambla, 74

32. Casa Dr. Genové

Rambla, 77

33. Farmacia Nadal 1850

Rambla, 121

34. Ateneu Barcelonès 1836

Canuda, 6

35. Catalana de Gas 1895

Portal de l'Àngel, 20-22

36. Casa Pascual i Pons 1891

Paseo de Gràcia, 2-4

37. Forn Sarret

Girona, 73

38. Cases Rocamora 1917

Paseo de Gràcia, 6-14

39. Casa Dolors Calm 1902

Rambla Catalunya, 54

40. Farmacia Bolós 1902

Rambla Catalunya, 77

41. Casa Juncosa 1907

Rambla Catalunya, 76-78

42. C. Josep i Ramón Queraltó 1907

Rambla Catalunya, 88

43. Casa Josefa Villanueva 1909

València, 312

44. Casa Jaume Forn 1904

València, 285

45. Casa Llopis Bofill

Bailèn, 113

46. Casa Sayrach 1918

Diagonal, 423

47. Casa Bonaventura Ferrer 1906

Paseo de Gràcia, 113

48. Casa Fuster

Paseo de Gràcia, 132

49. Casa Planells 1924

Diagonal, 332

50. Museu d'Art Modern*

Parque de la Ciutadella

*El museo acoge una rica colección del arte catalán desde mediados del siglo XIX hasta los años treinta del siglo XX.

TRAVESSERA DE DALT
LESSEPS
PARADA BUS 24
FONTANA
RONDA GUINARDÓ
C. PI I MARGALL
C. GRAN DE GRÀCIA
TRAVESSERA DE GRÀCIA
GRÀCIA
PARADA BUS 25
HOSPITAL DE SANT PAU
DIAGONAL
C. ROSSELLÓ
AVENIDA DIAGONAL
AVENIDA GAUDÍ
VERDAGUER
SAGRADA FAMÍLIA
C. MALLORCA
PASSEIG DE GRÀCIA
C. ARAGÓ
EIXAMPLE
PASEO DE GRÀCIA
PASEO DE SANT JOAN
GRAN VIA DE LES CORTS CATALANES
CATALUNYA
PARADA BUS 24
C. CASP
PLAZA CATALUNYA
PLAZA URQUINAONA
URQUINAONA
RONDA SANT PERE
P. DE L'ÀNGEL
VIA LAIETANA
LICEU
CASC ANTIC
PLAZA REIAL
LA RAMBLA
PARQUE DE LA CIUTADELLA
1. Farolas de la plaza Reial
2. Hotel España
3. Hotel Peninsular
4. Antigua Casa Figueres
5. Reial Acadèmia de Ciències i Arts
6. Editorial Montaner i Simon
7. Casa Fargas
8. Farolas-banco de Pere Falqués
9. Conservatori Municipal de Música
10. Casa Thomas
11. Can Serra
12. Casa Comalat
13. Palau del Baró de Quadras
14. Casa Macaya
15. Museu de Zoologia
16. Palau Güell
17. Mercat de la Boqueria
18. Els 4 Gats
19. Palau de la Música
20. Casa Calvet
21. Casa Lleó Morera
22. Casa Amatller
23. Casa Batlló
24. Palau Montaner
25. Casa Milà, la Pedrera
26. Casa Terrades, Casa de les Punxe
27. Templo de la Sagra Família
28. Hospital de la Sant Creu i Sant Pau
29. Parc Güell, Casa Museu Gaudí
30. Casa Vicens
31. Cafè de l'Òpera
32. Casa Dr. Genové
33. Farmacia Nadal
34. Ateneu Barcelonès
35. Catalana de Gas
36. Casa Pascual i Pon
37. Forn Sarret
38. Cases Rocamora
39. Casa Dolors Calm
40. Farmacia Bolós
41. Casa Juncosa
42. Casa Josep i Ramo Queraltó
43. Casa Josefa Villanu
44. Casa Jaume Forn
45. Casa Llopis i Bofill
46. Casa Sayrach
47. Casa Bonaventura Ferrer
48. Casa Fuster
49. Casa Planells
50. Museu d'Art Moder

Breve glosario

Arco trilobulado Arco cuyo intradós tiene tres partes onduladas.

Arrimadillo Friso que se clava en la pared de una habitación.

Chaflán Singular esquina que presentan todas las manzanas de los edificios que fueron erigidas en Barcelona bajo la reforma urbanística planteada en 1859 por Ildefons Cerdà.

Eixample Nombre que recibe el área urbana que proyectó Ildefons Cerdà.

Escudo heráldico Piezas escultóricas en las que aparecen las figuras o señales que representan el linaje de una familia.

Esgrafiado Técnica consistente en hacer saltar en algunos puntos la primera capa de una superficie que ha sido previamente coloreada para dejar al descubierto el tono de la capa inferior.

Estilo gótico Arte que se desarrolla en Europa occidental por evolución del Románico desde el siglo XII hasta el Renacimiento.

Estilo mudéjar Arte que se desarrolla en España entre los siglos XIII y XVI que se caracteriza por el uso de elementos del arte cristiano y el empleo de ornamentación árabe.

Farola-banco Pieza singular de mobiliario urbano formada por dos componentes: un doble banco que actúa como basamento de la farola.

Frontón Remate triangular de la fachada.

Hierro forjado Elementos arquitectónicos trabajados manualmente.

Intradós Superficie interior de un arco o bóveda.

Lacería Ornamentación a base de lazos.

Medallón Bajorrelieve de figura redonda o elíptica.

Mosaico Decoración elaborada con teselas de piedra o vidrio.

Pasamano Listón decorativo que se coloca sobre las barandillas.

Plaza porticada Plaza rodeada en todo su perímetro interior por una galería con arcadas.

Sobredintel Parte superior de una puerta o ventana.

Trencadís Palabra catalana que designa una forma de decoración inventada por Antoni Gaudí a base de elementos cerámicos de reaprovechamiento de edificios derribados que se combinan cromáticamente.

Tesela esmaltada Piezas pequeñas de azulejos cubiertas de esmalte que se utilizan en la técnica del mosaico.

Vidriera Panel compuesto de vidrios con que se cierran puertas y ventanas o bien se emplean para formar claraboyas.

Vano Parte del muro en el que no hay apoyo para el techo: ventanas, puertas, intercolumnios...

Zócalo Franja, pintada o sobrepuesta, que aparece en la parte superior o inferior de una pared.

Información práctica

Centre del Modernisme

Paseo de Gràcia, 43 (Casa Amatller)
Tel.: 934 880 139
www.rutamodernisme.com

Horario: laborables de 10 a 19 h y domingos y festivos de 10 a 14 h.

El centro facilita un multipase que da derecho a un descuento del 50% en las entradas de todos los monumentos de la ruta y tiene una validez de un mes. Además, ofrece una explicación sobre las fachadas de la “manzana de la discordia” -Casa Batlló, Casa Amatller y Casa Lleó Morera-, actualmente cerradas, seis veces al día (tabla de horarios en el centro) en español y en inglés.

Otras webs donde puede encontrarse información sobre el Modernismo:
www.gaudiclub.com
www.barcelona-on-line.es
www.horitzo.es/expo2000.

Rutas

Las rutas trazadas en las siguientes explicaciones tienen todas el mismo punto de partida, la plaza Catalunya.

1. Farolas de la plaza Reial

Plaza Reial
Metro LICEU (línea 3)
Dirigirse por la Rambla en dirección mar hasta la calle Colom, a la izquierda, que da entrada a la plaza.

2. Hotel España

Sant Pau, 9-11
Se puede visitar el restaurante cuando está fuera de horas de servicio; no se paga entrada
Metro LICEU (línea 3)
El hotel se encuentra casi en la esquina de la Rambla con esta calle.

3. Hotel Peninsular

Sant Pau, 34
Está permitida la visita al interior, pero sólo en horario de mañanas; no se paga entrada
Metro LICEU (línea 3)
La calle Sant Pau se toma a mano derecha bajando por la Rambla.

4. Antigua Casa Figueres

Rambla, 83/Petxina, 1
Horario: de 8,30 a 21 h todos los días
Metro LICEU (línea 3)
Bajando por la Rambla, aparece justo después de pasar el mercado.

5. Reial Acadèmia de Ciències i Arts

Rambla, 115
No puede visitarse el interior
Metro CATALUNYA (líneas 1 y 3)
Dirigirse por la Rambla en dirección mar por la acera de la derecha. La Acadèmia se encuentra después de la segunda bocacalle.

6. Editorial Montaner i Simon

Aragó, 255
Horario: martes a domingo, de 10 a 20 h; lunes cerrado
Metro PASSEIG DE GRÀCIA (líneas 2, 3 y 4)
Se toma la Gran Via de les Corts Catalanes y se sube por la Rambla Catalunya hasta la calle Aragó; el edificio está casi en la esquina.

7. Casa Fargas

Rambla Catalunya, 47

No puede visitarse el interior

Metro PASSEIG DE GRÀCIA (líneas 2, 3 y 4)

Hay que tomar la Rambla Catalunya y contar dos calles después de la Gran Via de les Corts Catalanes.

8. Farolas-banco de Pere Falqués

Paseo de Gràcia

Bus línea 24. Metro PASSEIG DE GRÀCIA (líneas 2, 3 y 4)

Estos elementos de mobiliario urbano se encuentran repartidos a lo largo de las aceras izquierda y derecha del paseo.

9. Conservatori Municipal de Música

Bruc, 112

Horario: de 9 a 21 h, excepto domingos y festivos

Entrada gratuita

Metro GIRONA (línea 4)

Encaminarse por el paseo de Gràcia y tomar la calle València a la derecha hasta llegar a Bruc.

10. Casa Thomas

Mallorca, 293

No puede visitarse el interior

Metro DIAGONAL (línea 3)

Dirigirse por la acera derecha del paseo de Gràcia hasta la calle Mallorca; hay que contar dos calles antes de llegar a este edificio.

11. Can Serra

Rambla Catalunya, 126

No puede visitarse el interior

Metro DIAGONAL (líneas 3 y 5), VERDAGUER (línea 4)

Subir por el paseo de Gràcia hasta encontrar la calle Rosselló y girar a la derecha hasta la avenida Diagonal; el edificio se halla al otro lado de este paseo.

12. Casa Comalat

Diagonal, 442

No puede visitarse el interior

Metro VERDAGUER (línea 4)

En la confluencia del paseo de Gràcia con la Gran Via de les Corts Catalanes puede tomarse la línea 4 del metro, que lleva hasta allí sin necesidad de conexiones. Para llegar al edificio hay que cruzar la avenida.

13. Palau del Baró de Quadras

Diagonal, 373

Horario: martes, jueves, viernes, sábado y domingo, de 10 a 14 h; miércoles, de 10 a 20 h; lunes cerrado

Acceso de pago

Metro DIAGONAL (líneas 3 y 5)

Tomar la línea 3 de metro en Catalunya hasta la parada DIAGONAL. Una vez fuera dirigirse por la calle Rosselló hasta su confluencia con la avenida Diagonal.

14. Casa Macaya

Paseo Sant Joan, 108

Horario: de 11 a 20 h.

Entrada gratuita

Metro VERDAGUER (líneas 4 y 5)

Puede tomarse la línea 4 de metro en el paseo de Gràcia. El edificio se encuentra delante mismo de la boca de metro.

15. Museu de Zoologia

Parque de la Ciutadella

Horario: martes, miércoles, viernes, sábado y domingo, de 10 a 14 h; jueves, de 10 a 18.30 h; lunes cerrado

Acceso de pago

Metro ARC DE TRIOMF (línea 1)

Puede tomarse la línea 1 de metro en la plaza Catalunya. Una vez en el exterior, el paseo Lluís Companys conduce hasta el parque, a cuya entrada se encuentra el museo.

Otros títulos de la editorial Kliczkowski Publishers

Fundición, 15 Polígono Industrial Santa Ana 28529 Rivas-Vaciamadrid Madrid Tel. 34 91 666 50 01 Fax 34 91 301 26 83 asppan@asppan.com www.onlybook.com

Barcelona, Gaudí y la Ruta del Modernismo/Barcelona, Gaudí and Modernism

ISBN (E): 84-89439-50-4 Texto en español
ISBN (GB): 84-89439-51-1 Texto en inglés
ISBN (D): 84-89439-58-3 Texto en alemán
ISBN (IT): 84-89439-59-1 Texto en italiano

The Best of Lofts

ISBN (E/GB): 95-09575-84-4

The Best of Bars & Restaurants

ISBN (E/GB): 95-09575-86-8

The Best of American Houses

ISBN (E/GB): 98-79778-17-0

Interiores minimalistas/Minimalist Interiors

ISBN (E/GB): 98-79778-16-6

Lofts minimalistas/Minimalist lofts

ISBN (E/GB): 84-89439-55-9

Estancias Argentinas

ISBN (E/GB): 98-79778-19-7

Guggenheim

ISBN (E): 84-89439-52-4
ISBN (GB): 84-89439-53-5
ISBN (D): 84-89439-54-2

Los encantos de Barcelona/
Barcelona Style

ISBN (E): 84-89439-56-7
ISBN (GB): 84-89439-57-5

Hotels. Designer & Design
Hoteles. Arquitectura y Diseño

ISBN (E/GB): 84-89439-61-3

E: texto en español GB: texto en inglés IT: texto en italiano D: texto en alemán

Bauhaus
ISBN (E): 98-79778-14-2

Antoni Gaudí
ISBN (E): 98-75130-09-8

Frank Lloyd Wright
ISBN (E): 98-79778-11-1

Le Corbusier
ISBN (E): 98-79778-13-5

Frank Gehry
ISBN (E): 85868-915-5

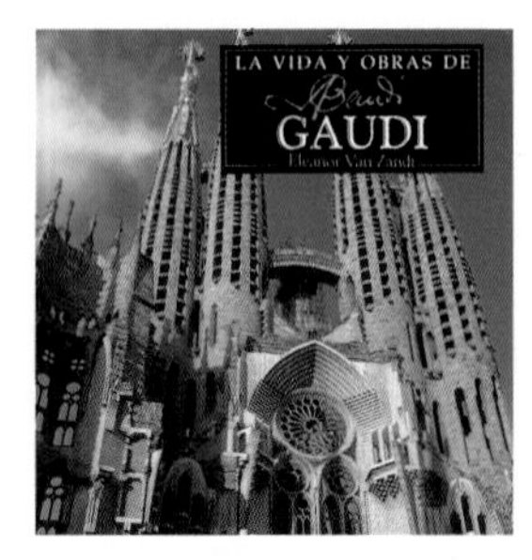

La vida y obras de Antoni Gaudí
ISBN (E): 950-9575-78-X

La vida y obras de Goya
ISBN (E): 950-9575-79-8

La vida y obras de Vincent van Gogh
ISBN (E): 950-957-571-2

La vida y obras de Gustav Klimt
ISBN (E): 950-957-567-4